HERVÉ TULLET

La cocina de dibujos

Φ

Recetas

ENSALADA RÁPIDA DE CÍRCULOS

DELICIA DE GARABATOS

TARTA DE TRIÁNGULOS

PASTA DE COLORES

SOPA DE ZIGZAGS

BROCHETAS DE FORMAS

ESPAGUETIS MULTICOLORES

ESTOFADO DE PUNTOS

TARTA DE RAYOS DE SOL

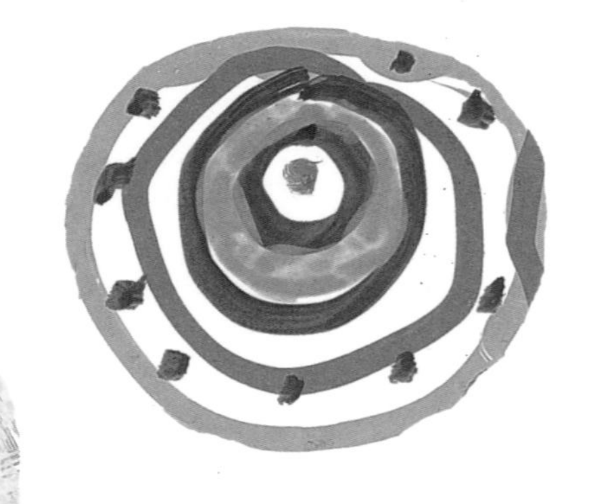

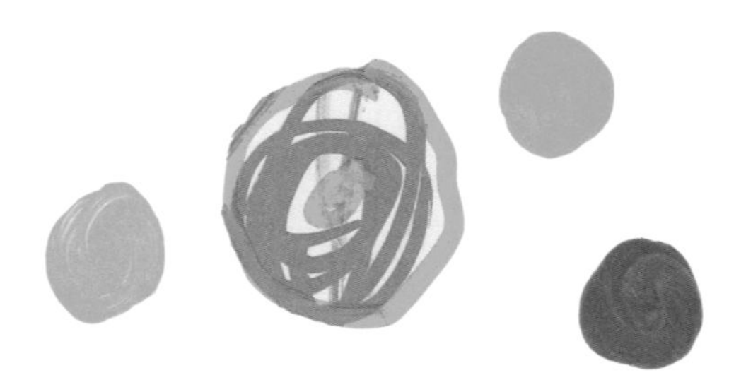

ENSALADA DE MANOS
MERMELADA MÁGICA
ARROZ AZUL
GALLETA RUBÍ
PASTELITOS DE VIENTO
MILHOJAS DE PAPEL
HAMBURGUESA A TODO COLOR
PATÉ DE COLORES
SOPA SIN NOMBRE
SORPRESA DEL CHEF

Ensalada Rápida de círculos

(NOTA: ESTA ENSALADA QUEDA MEJOR SI SE PREPARA LO MÁS RÁPIDO POSIBLE).

DIBUJA EN EL PLATO LOS SIGUIENTES INGREDIENTES, TAN RÁPIDO COMO PUEDAS, CON DIFERENTES COLORES:

UN CÍRCULO GRANDE.

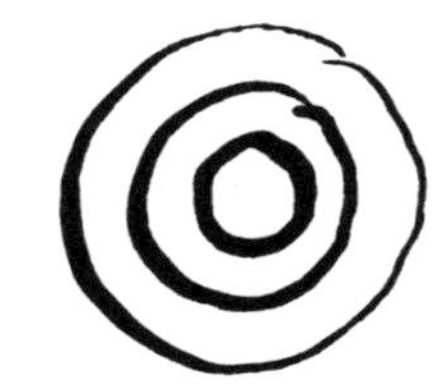

DOS CÍRCULOS MEDIANOS.

TRES CÍRCULOS PEQUEÑOS.

UN CÍRCULO DENTRO DE OTRO, CON OTRO CÍRCULO DENTRO.

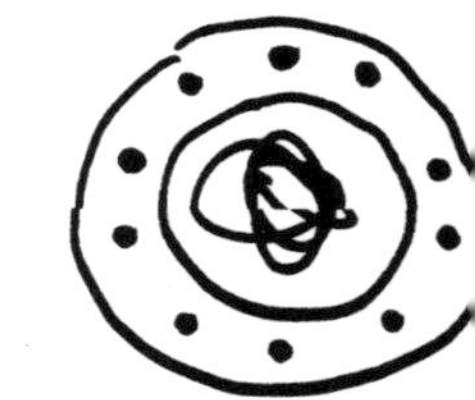

UN CÍRCULO CON CUATRO PUNTOS DENTRO Y OTRO CÍRCULO CON OTROS CUATRO PUNTOS DENTRO DEL PRIMERO.

DIEZ CÍRCULOS DIMINUTOS.

AHORA REPITE TODOS LOS PASOS ANTERIORES.

LUEGO RODEA CON UN CÍRCULO UNOS CUANTOS CÍRCULOS DEL PLATO.

POR ÚLTIMO ELIGE OTROS CUANTOS CÍRCULOS Y RELLÉNALOS CON PUNTITOS.

DEJA REPOSAR EL PLATO UNOS MINUTOS ANTES DE SERVIRLO.

¿TIENES HAMBRE?

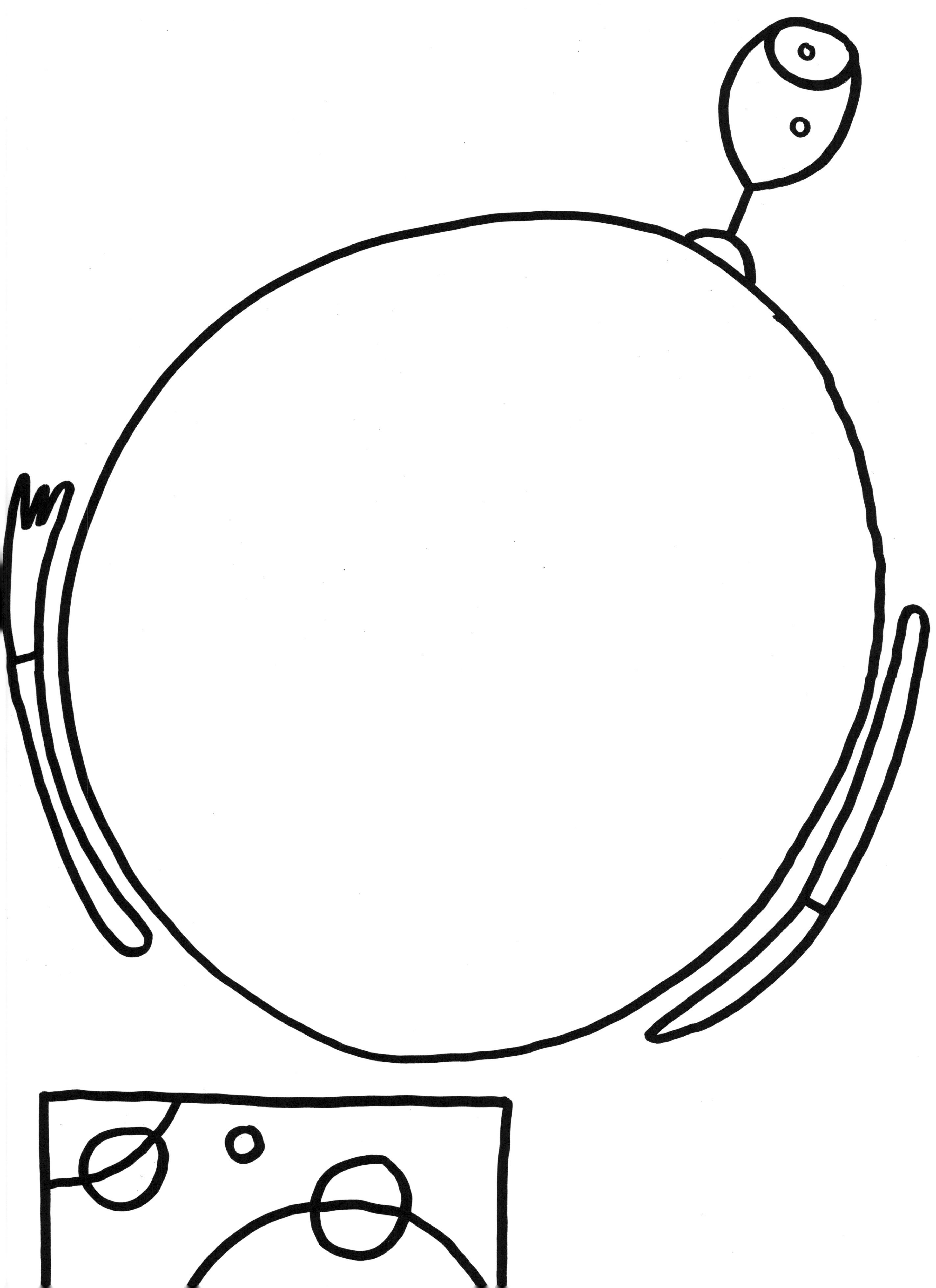

DELICIA DE
garabatos
PARA EMPEZAR DIBUJA UN BONITO GARABATO EN EL CENTRO DEL PLATO.
LUEGO DIBUJA OTRO GARABATO ENCIMA, APRETANDO UN POCO MÁS EL LÁPIZ.
AÑADE UN ÚLTIMO GARABATO, fino y delicado.
AHORA REPARTE POR EL PLATO CUATRO GARABATOS MEDIANOS, CINCO GARABATITOS ESPECIALES Y OCHO MINIGARABATOS, DE DIFERENTES COLORES.
A CONTINUACIÓN DIBUJA UN BONITO CÍRCULO ALREDEDOR DE CADA UNO DE LOS GARABATOS.
PARA TERMINAR ESPARCE UNA LLUVIA DE PUNTITOS DE COLORINES POR ENCIMA.
¡DELICIOSO!

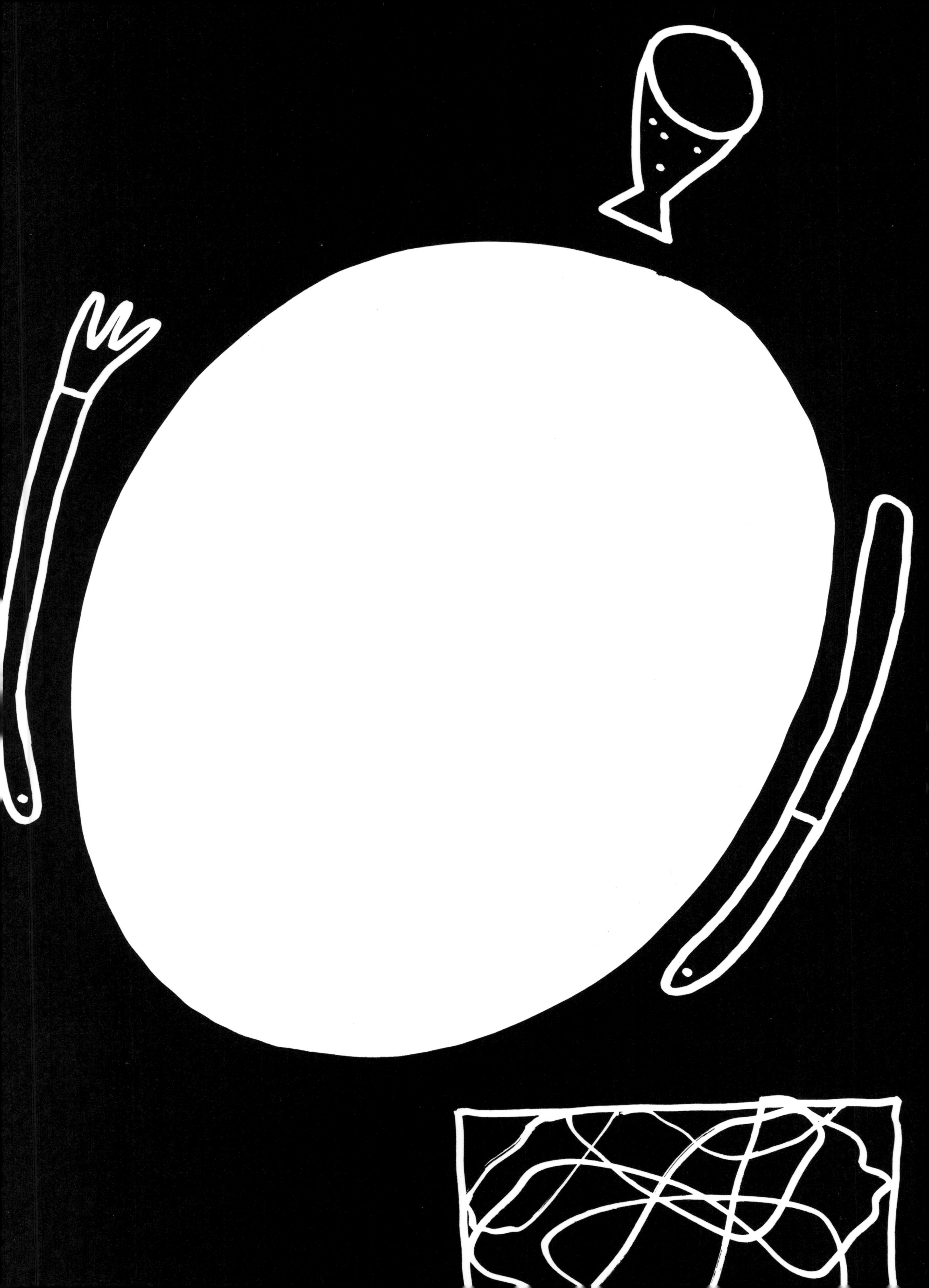

TARTA de Triángulos

DIBUJA UN PUNTO EN EL BORDE DEL PLATO Y, DESDE AHÍ, TRAZA VARIAS LÍNEAS RECTAS QUE ATRAVIESEN EL PLATO.

LUEGO DIBUJA OTRO PUNTO EN OTRO LUGAR DEL BORDE DEL PLATO Y HAZ LO MISMO.

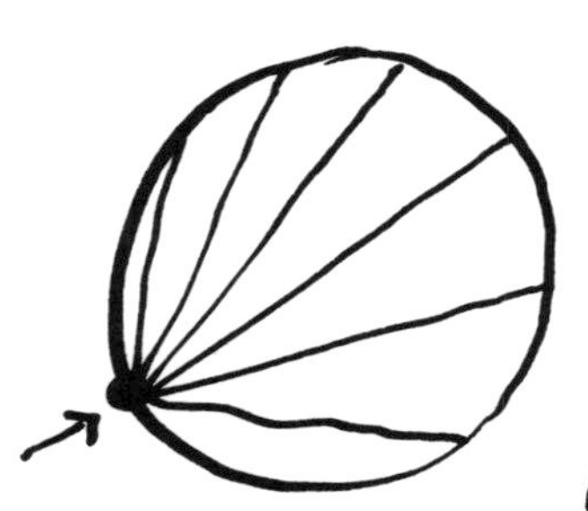

REPITE LA OPERACIÓN OTRA VEZ. ¡Y OTRA VEZ MÁS!

AHORA DIBUJA TRES BONITOS TRIÁNGULOS BIEN GRANDES.

DECORA Y COLOREA LOS TRIÁNGULOS.

PINTA LA TARTA CON BONITOS COLORES Y AÑADE ALGUNOS TRIANGULITOS DE DECORACIÓN.

Ya Puedes Repartir La Tarta.

Pasta de colores
ESPARCE
UNOS VEINTE CIRCULITOS POR EL PLATO.
LUEGO ESPARCE UNOS VEINTE ÓVALOS.
AÑADE TAMBIÉN UNAS VEINTE FORMAS IRREGULARES.
AHORA UNE TODAS LAS FORMAS ASÍ:
COLORÉALAS RÁPIDAMENTE.
TRAZA UNA LÍNEA SINUOSA ENTRE LAS FORMAS.
ALIÑA EL PLATO CON UNOS BONITOS PUNTOS.
¡Y ya está listo!
PUEDES SERVIRLO COMO ACOMPAÑAMIENTO
O COMO PLATO PRINCIPAL.

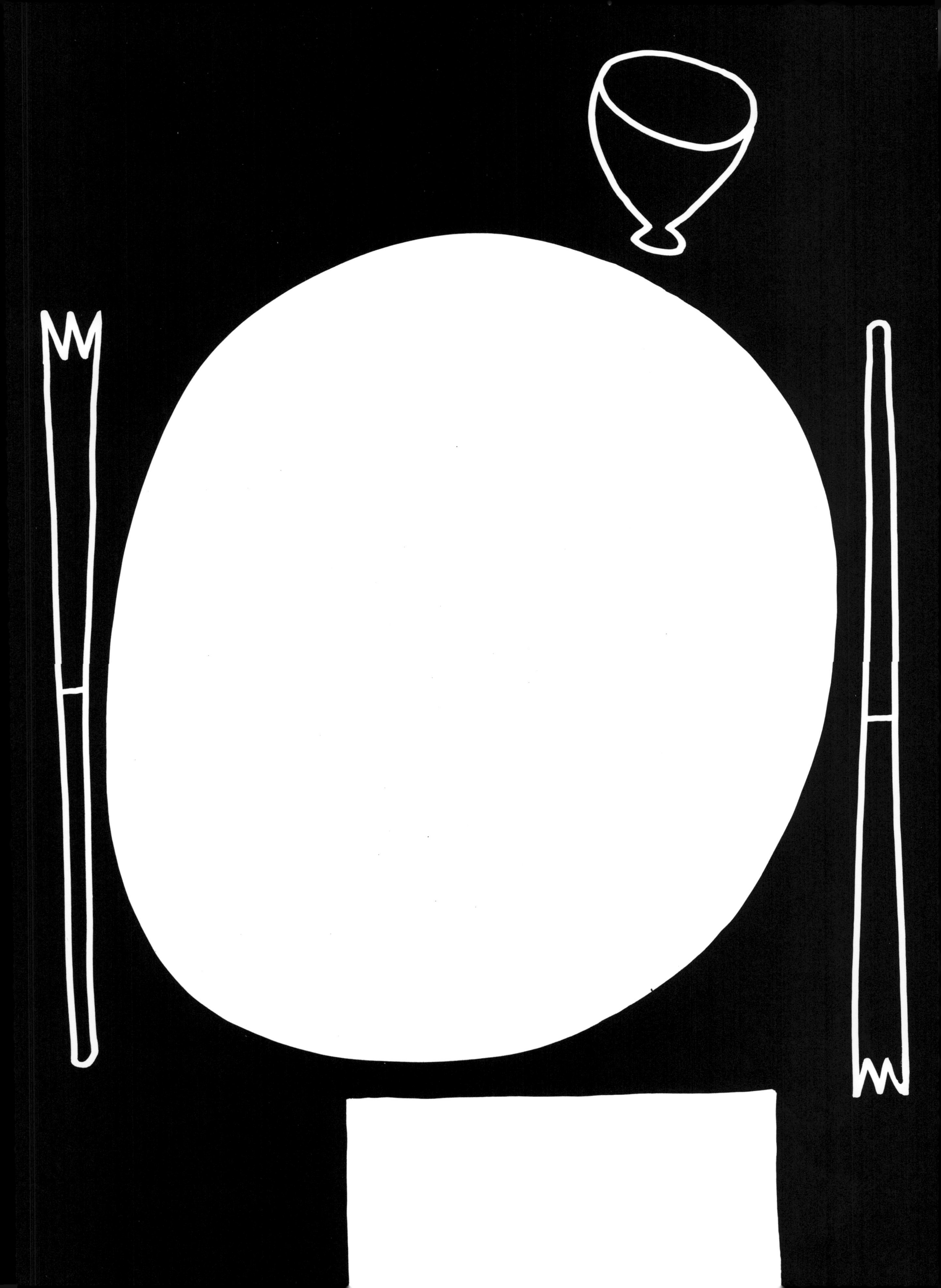

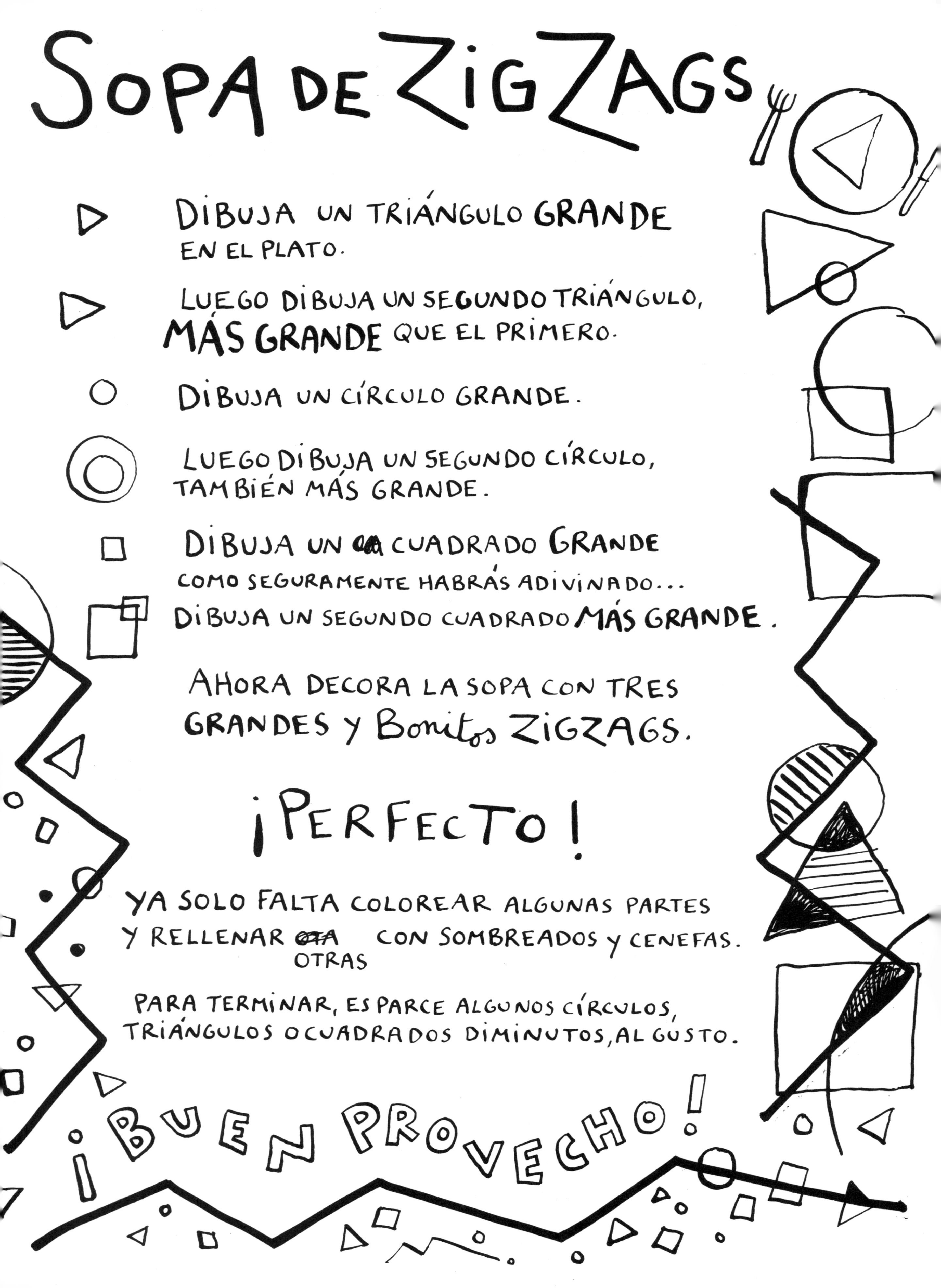
SOPA DE ZIGZAGS
DIBUJA UN TRIÁNGULO GRANDE EN EL PLATO.
LUEGO DIBUJA UN SEGUNDO TRIÁNGULO, MÁS GRANDE QUE EL PRIMERO.
DIBUJA UN CÍRCULO GRANDE.
LUEGO DIBUJA UN SEGUNDO CÍRCULO, TAMBIÉN MÁS GRANDE.
DIBUJA UN CUADRADO GRANDE
COMO SEGURAMENTE HABRÁS ADIVINADO...
DIBUJA UN SEGUNDO CUADRADO MÁS GRANDE.
AHORA DECORA LA SOPA CON TRES GRANDES Y Bonitos ZIGZAGS.
¡PERFECTO!
YA SOLO FALTA COLOREAR ALGUNAS PARTES Y RELLENAR OTRAS CON SOMBREADOS Y CENEFAS.
PARA TERMINAR, ESPARCE ALGUNOS CÍRCULOS, TRIÁNGULOS O CUADRADOS DIMINUTOS, AL GUSTO.
¡BUEN PROVECHO!

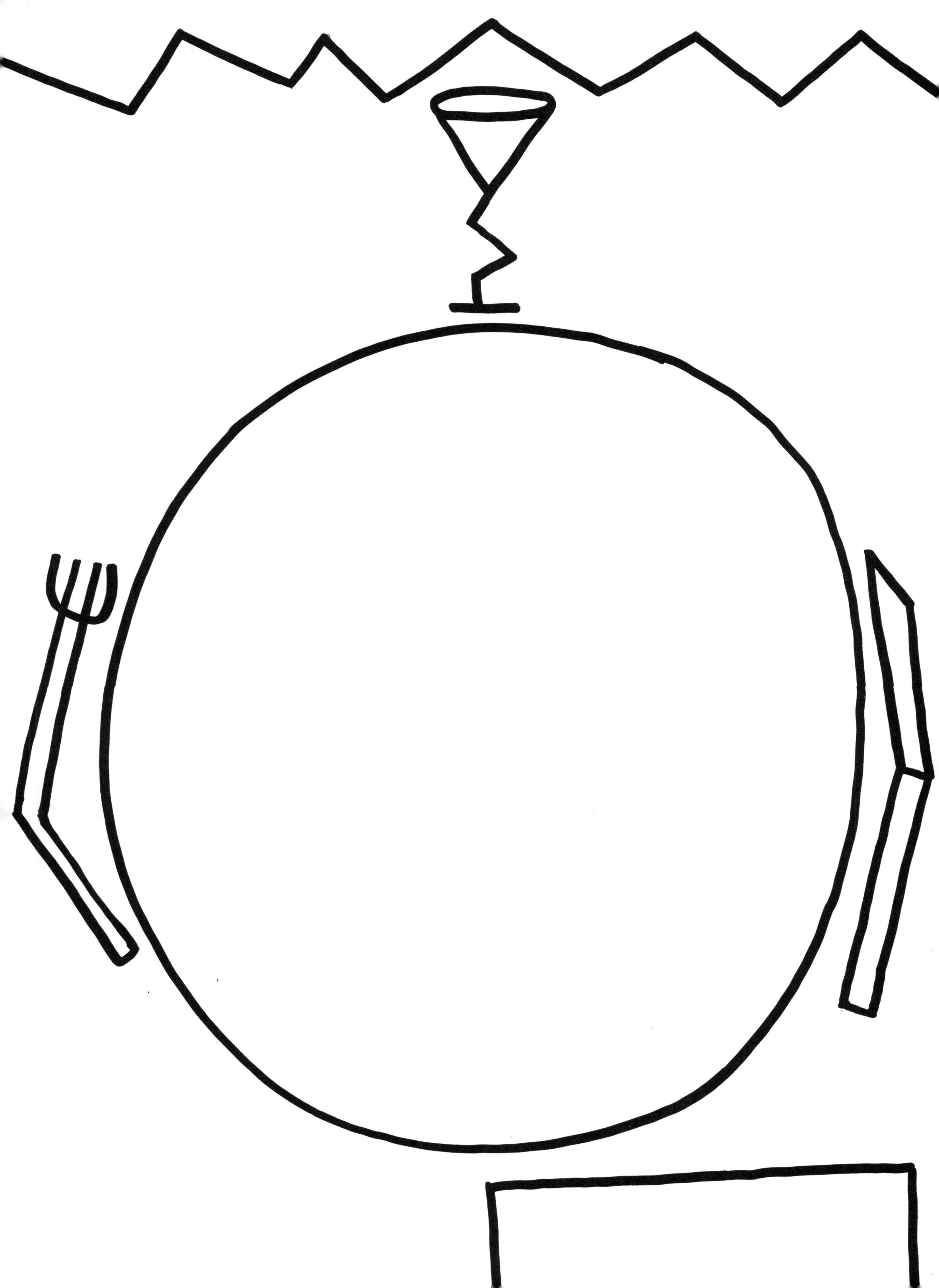

Brochetas de formas

TRAZA CUATRO LÍNEAS LARGAS Y BIEN RECTAS EN EL PLATO.

EN LA PRIMERA LÍNEA, AÑADE UNA BONITA HILERA DE CÍRCULOS.

EN LA SEGUNDA LÍNEA, AÑADE UNA RISTRA DE CUADRADOS BIEN *Chulos*.

EN LA TERCERA LÍNEA, AÑADE UNA SERIE DE LINDOS TRIÁNGULOS.

Y EN LA ÚLTIMA, AÑADE UNA FILA DE *bonitos* GARABATOS BIEN **ESPESOS**.

COLOREA LAS BROCHETAS O DECÓRALAS A TU GUSTO.

POR ÚLTIMO SAZONA LAS BROCHETAS CON PEQUEÑOS TRAZOS FINOS A SU ALREDEDOR.

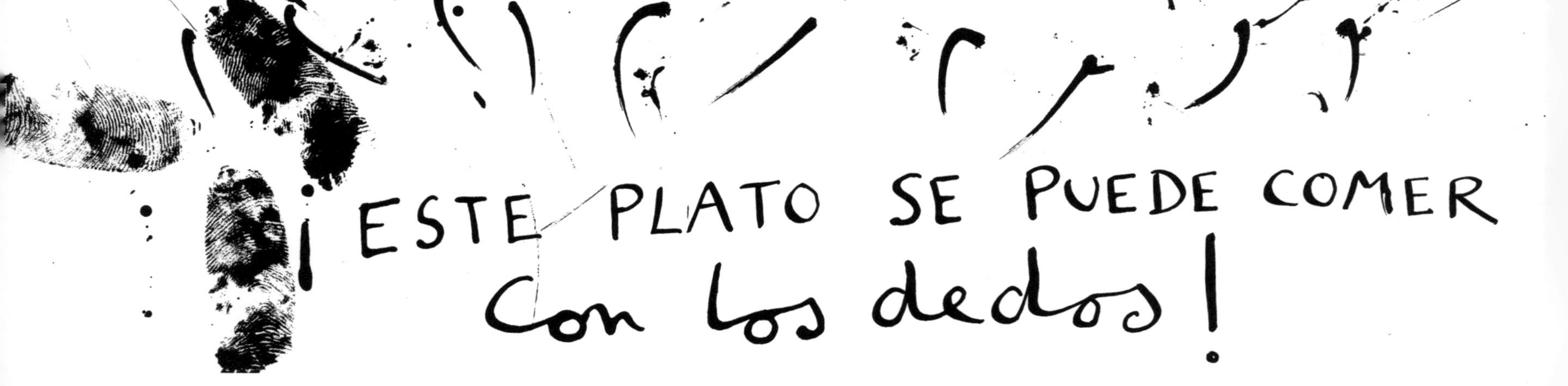

¡ESTE PLATO SE PUEDE COMER Con los dedos!

Espaguetis MULTICOLORES

PARA EMPEZAR DIVIDE EL PLATO EN UNA CUADRÍCULA CON LÍNEAS DE VARIOS COLORES.

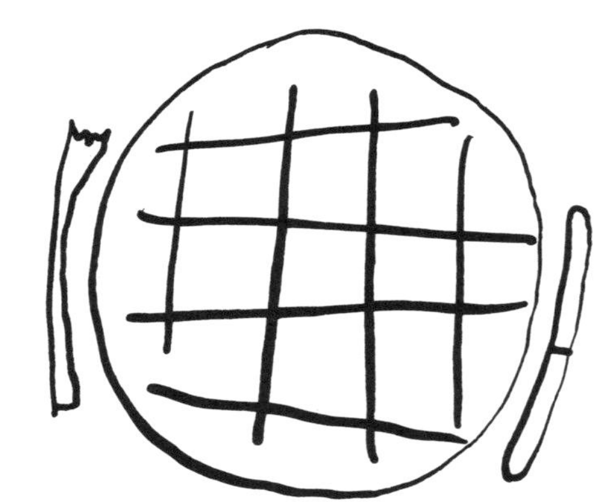

LUEGO DIBUJA LÍNEAS ONDULADAS ENTRE LA CUADRÍCULA.

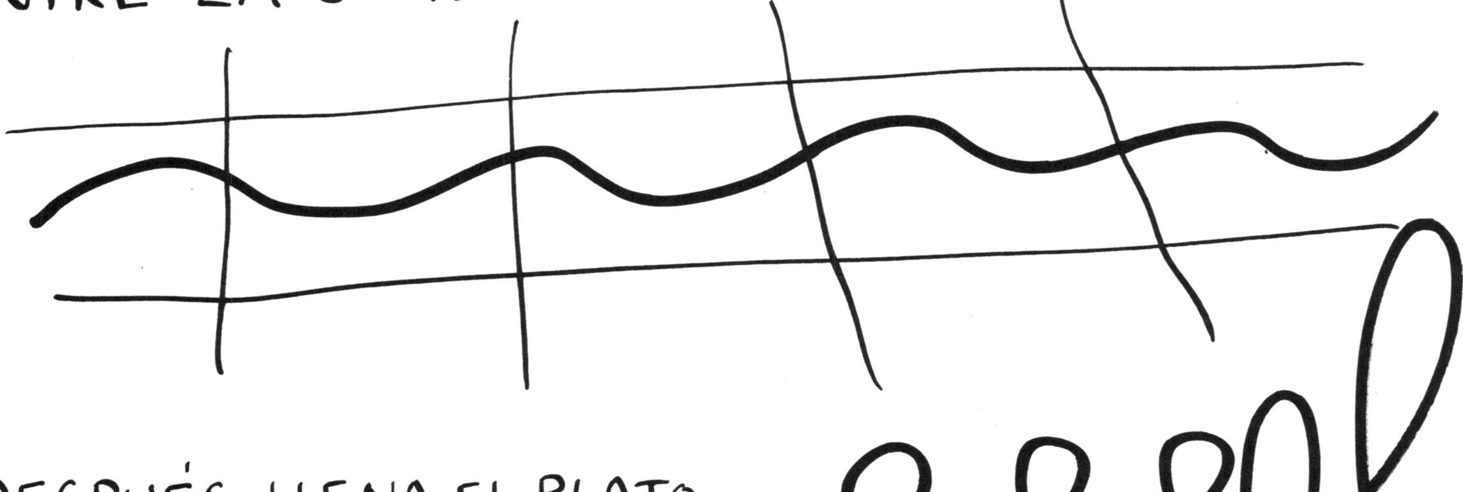

DESPUÉS LLENA EL PLATO DE GRANDES BUCLES.

POR ÚLTIMO AÑADE PUNTOS DENTRO DE LOS BUCLES. INTENTA QUE QUEDEN BIEN REPARTIDOS.

(NOTA: A MÍ SIEMPRE ME PARECE QUE A ESTA RECETA LE FALTA ALGO. ¿QUÉ INGREDIENTE AÑADIRÍAS TÚ?)

Estofado de Puntos

DIBUJA EN EL BORDE DEL PLATO
UN CÍRCULO **ROJO**, OTRO **AMARILLO** Y OTRO **AZUL**.

LUEGO, CERCA DEL BORDE DEL PLATO,

DIBUJA:
DOCE PUNTOS AMARILLOS
DOCE PUNTOS ROJOS
Y **DOCE** PUNTOS AZULES.

REPITE ESA MISMA SERIE
DE PUNTOS EN EL CENTRO DEL PLATO...
PERO ¡con los ojos cerrados!

– AHORA ABRE LOS OJOS. UNE CON UNA LÍNEA
UN PUNTO DEL BORDE CON UN PUNTO DEL CENTRO,
Y ASÍ CON TODOS LOS PUNTOS
(AMARILLO CON AMARILLO,
AZUL CON AZUL
Y ROJO CON ROJO).

PARA TERMINAR DIBUJA
UN CÍRCULO ALREDEDOR DE
CADA UNO DE LOS PUNTOS, DEL MISMO COLOR. →

¡A COMER!

TARTA de Rayos de sol

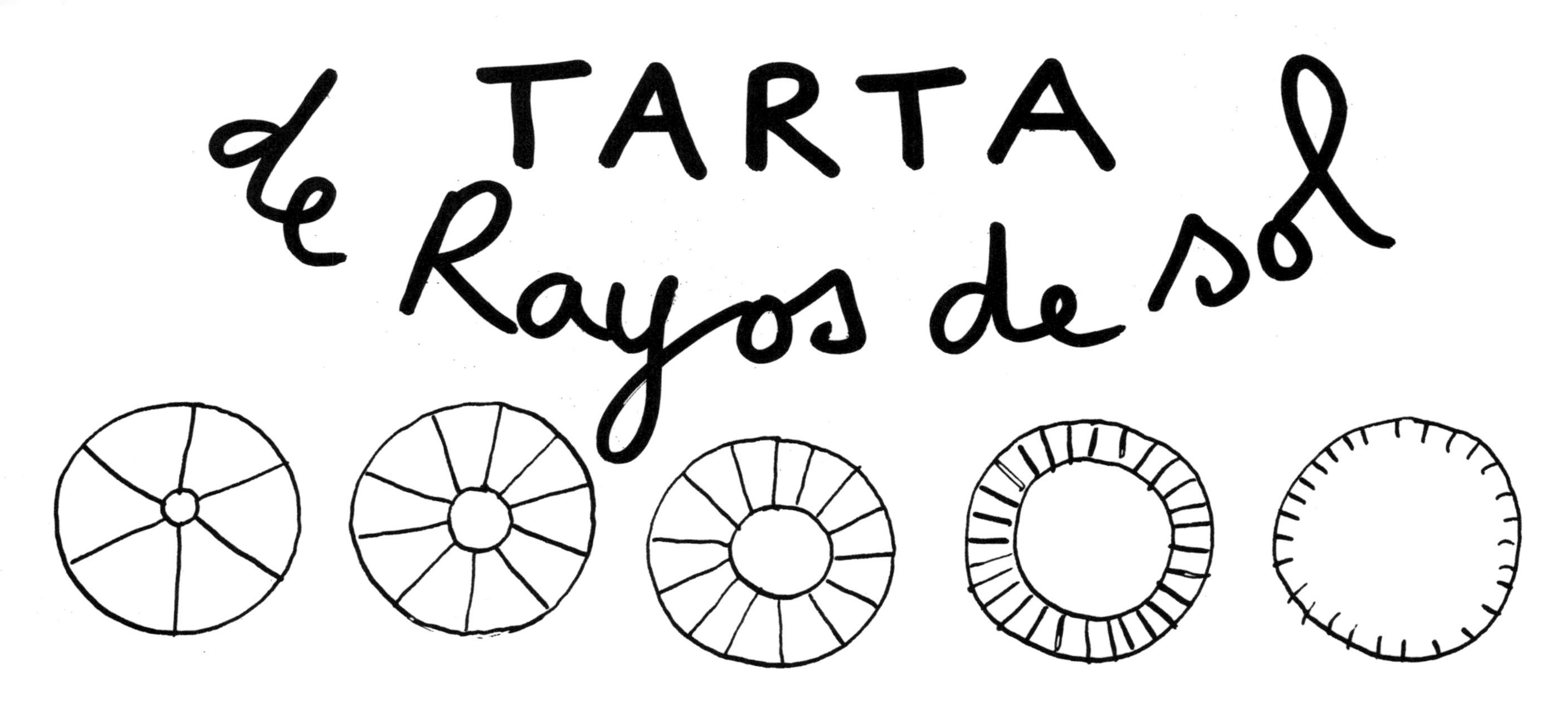

DIBUJA UN SOL PEQUEÑO EN EL CENTRO DEL PLATO CON SEIS GRANDES RAYOS QUE LLEGUEN HASTA EL BORDE.

LUEGO DIBUJA UN SOL MÁS GRANDE ALREDEDOR DEL PRIMERO, AHORA CON DIEZ RAYOS.

AHORA DIBUJA OTRO SOL AÚN MÁS GRANDE CON MÁS RAYOS QUE EL ANTERIOR.

POR ÚLTIMO DIBUJA EL SOL MÁS GRANDE CON EL MAYOR NÚMERO POSIBLE DE RAYOS. AÑADE PEQUEÑOS RAYOS ALREDEDOR DEL BORDE DEL PLATO.

• PARA TERMINAR AGREGA PEQUEÑOS TRAZOS O TOQUES DE COLOR PARA QUE LA TARTA QUEDE MÁS RICA.

¡ Cuidado !

¡ESTÁ MUY CALIENTE!

DEJA ENFRIAR LA TARTA ANTES DE SERVIRLA.

Ensalada de Manos

PON UN LÁPIZ EN EL CENTRO DEL PLATO Y, DESDE AHÍ, DIBUJA UNA **GRAN** ESPIRAL.

LUEGO PON TU MANO PLANA SOBRE EL PLATO Y DIBUJA SU CONTORNO.

CAMBIA LA MANO DE POSICIÓN Y DIBUJA SU CONTORNO OTRA VEZ.

REPITE LA OPERACIÓN HASTA QUE EL PLATO ESTÉ LLENO DE MANOS.

AHORA COLOREA LAS PUNTAS DE LOS DEDOS.

PARA TERMINAR LA ENSALADA, DIBUJA PEQUEÑOS TRAZOS AQUÍ Y ALLÍ, A TU GUSTO.

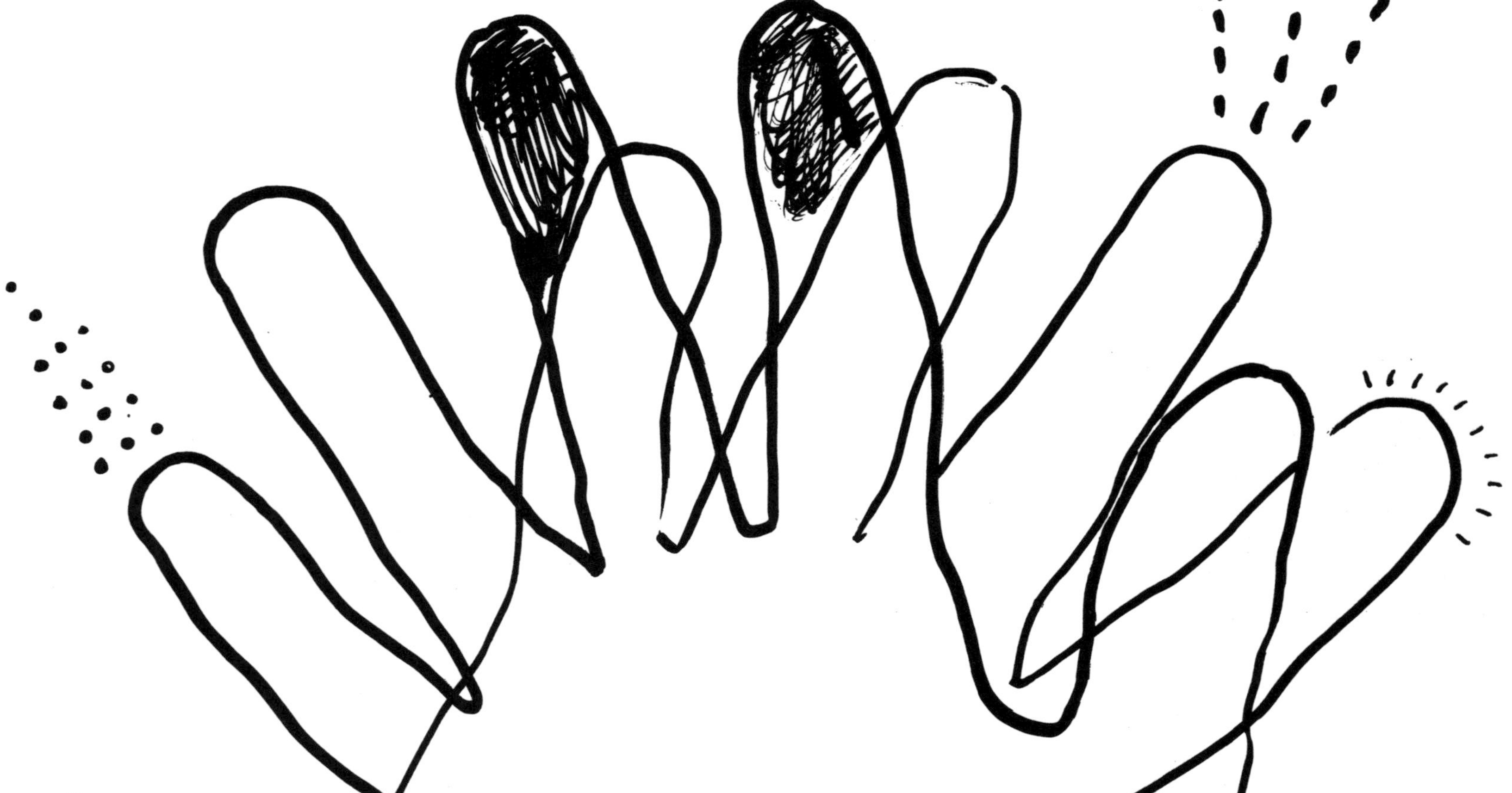

. ESTE PLATO SE PUEDE COMER CON LOS DEDOS, PERO
¡PRIMERO HAY QUE LAVARSE LAS MANOS!

UNA PIZCA POR AQUÍ, OTRA PIZCA POR ALLÍ...

¿QUÉ INGREDIENTES CREES QUE HE UTILIZADO EN ESTOS PLATOS?

ACABO DE PREPARAR
MIS ÚLTIMAS CREACIONES.

AÚN NO SÉ CÓMO LLAMARLAS.
¿QUÉ NOMBRE DARÍAS TÚ A ESTAS RECETAS?

PRIMERO DIBUJA UN PUNTO (no muy pequeño) EN EL PLATO. ● COLOCA LA PUNTA DEL LÁPIZ SOBRE EL PUNTO, CON EL LÁPIZ BIEN VERTICAL.

PIDE A TU AYUDANTE DE COCINA QUE **MUEVA** EL LIBRO EN VARIAS DIRECCIONES.

MIENTRAS TANTO, TÚ SUJETA EL LÁPIZ CON FIRMEZA.

● EMPEZARÁN A APARECER LÍNEAS COMO POR ARTE DE *Magia*.

AHORA DIBUJA OTRO PUNTO DE OTRO COLOR Y PIDE A TU AYUDANTE QUE **MUEVA** EL LIBRO DE NUEVO.

REPITE LOS MISMOS PASOS VARIAS VECES. LUEGO DECORA ALGUNAS DE LAS LÍNEAS QUE HAS DIBUJADO CON PUNTOS DE DIFERENTES COLORES...

SI QUIERES, TAMBIÉN PUEDES DECORAR EL BORDE DEL PLATO CON MÁS PUNTOS.

ESTA MERMELADA ESTÁ RIQUÍSIMA Con Tostadas, Para Desayunar.

ARROZ AZUL

LLENA EL PLATO DE CÍRCULOS AZULES:
PEQUEÑOS,
MEDIANOS
Y GRANDES.

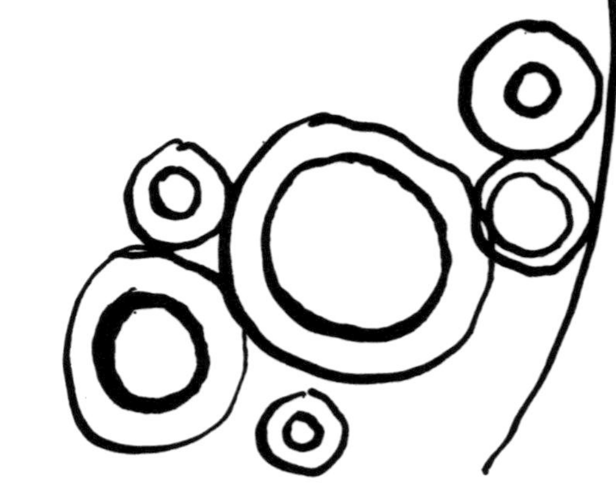

LUEGO, CON UN COLOR
AZUL DISTINTO, DIBUJA
UN CÍRCULO MÁS PEQUEÑO DENTRO
DE CADA UNO DE LOS CÍRCULOS.

POR ÚLTIMO RELLENA LOS CÍRCULOS
CON RAYITAS, CRUCES, ESPIRALES, PUNTOS,
CIRCULITOS, ESTRELLAS, HUELLAS DACTILARES
O LO QUE PREFIERAS.

ESTA RECETA TAMBIÉN QUEDA DELICIOSA
SI LA PREPARAS CON ARROZ ROJO O VERDE.

¡A LA MESA!

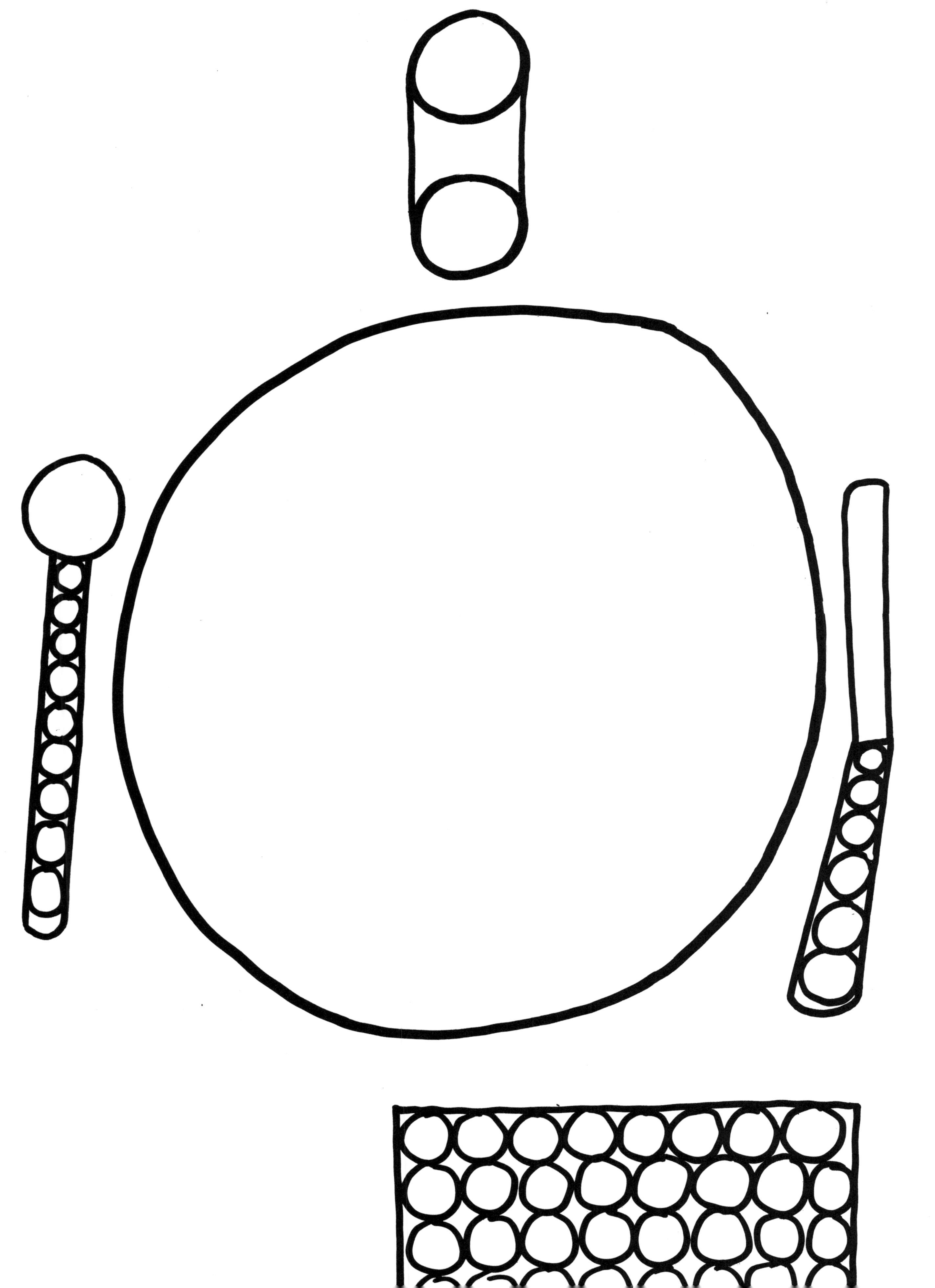

Galleta Rubí

EL RESULTADO DE ESTA RECETA ES **ESPECTACULAR**.

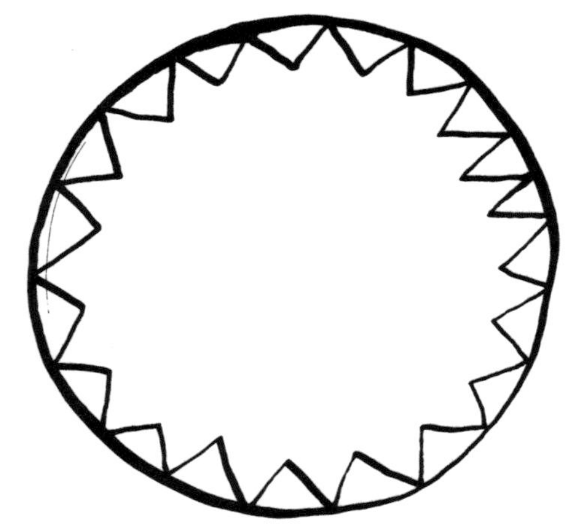

CON UN LÁPIZ DE COLOR ROJO, DIBUJA UNA FILA DE TRIÁNGULOS A LO LARGO DEL BORDE DEL PLATO.

LUEGO DIBUJA UN PUNTO EN EL CENTRO.

UNE EL PUNTO CENTRAL CON EL VÉRTICE DE CADA TRIÁNGULO MEDIANTE LÍNEAS LARGAS.

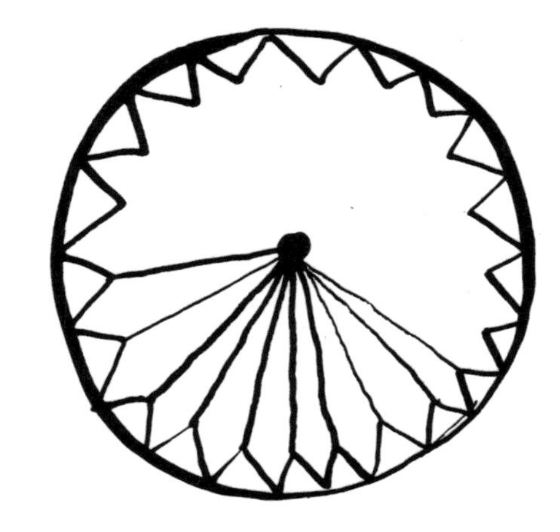

AÑADE DESPUÉS UNA RED DE LÍNEAS EN **ZIGZAG**.

COLOREA UN ESPACIO SÍ, OTRO NO, COMO SI FUESE UN TABLERO DE AJEDREZ.

POR ÚLTIMO AÑADE UN TRIÁNGULO MÁS PEQUEÑO DENTRO DE CADA UNO DE LOS TRIÁNGULOS DEL BORDE.

PRUEBA TAMBIÉN A PREPARAR GALLETAS

ESMERALDA O **ZAFIRO**, **CON VERDE O AZUL.**

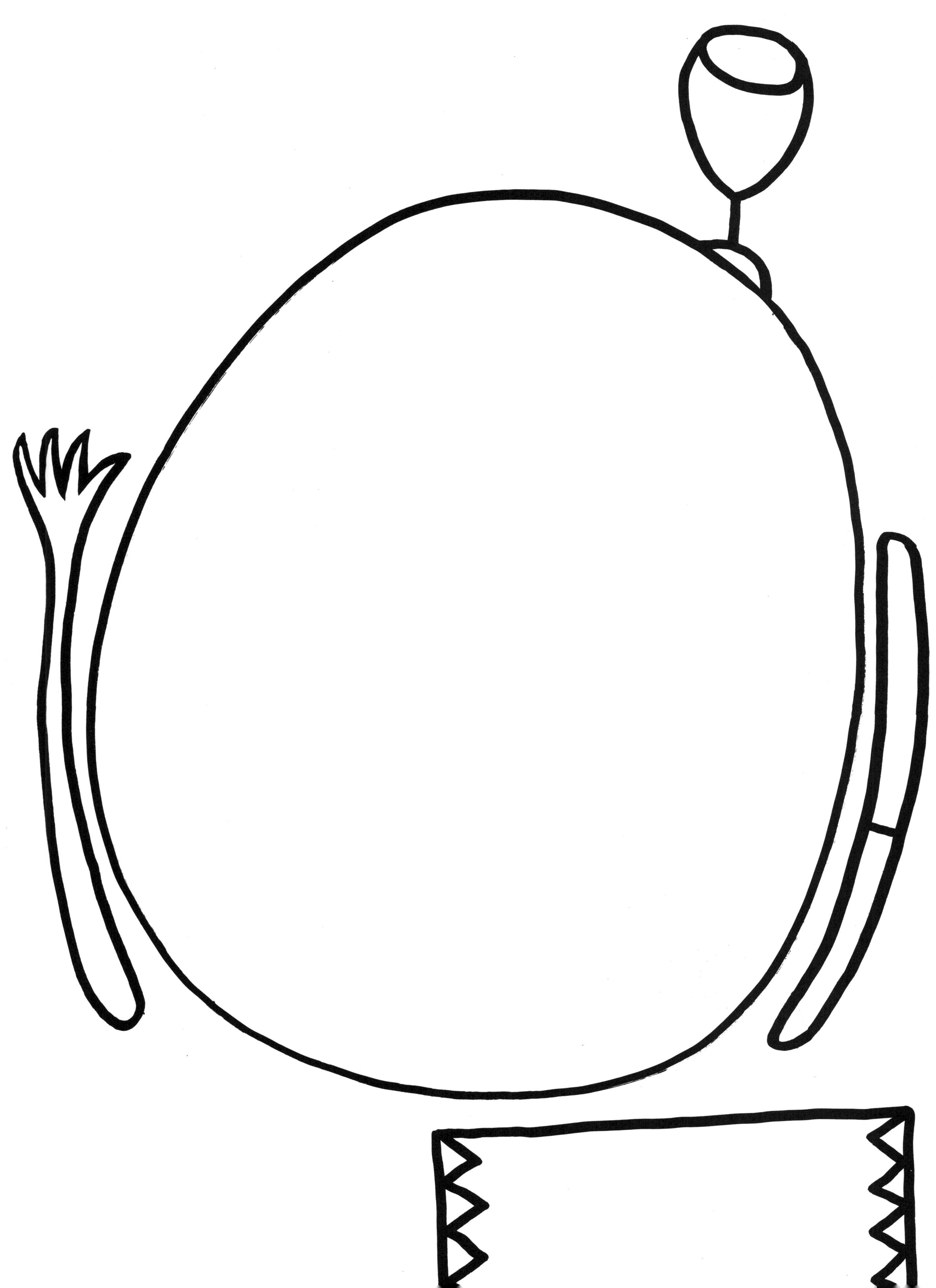

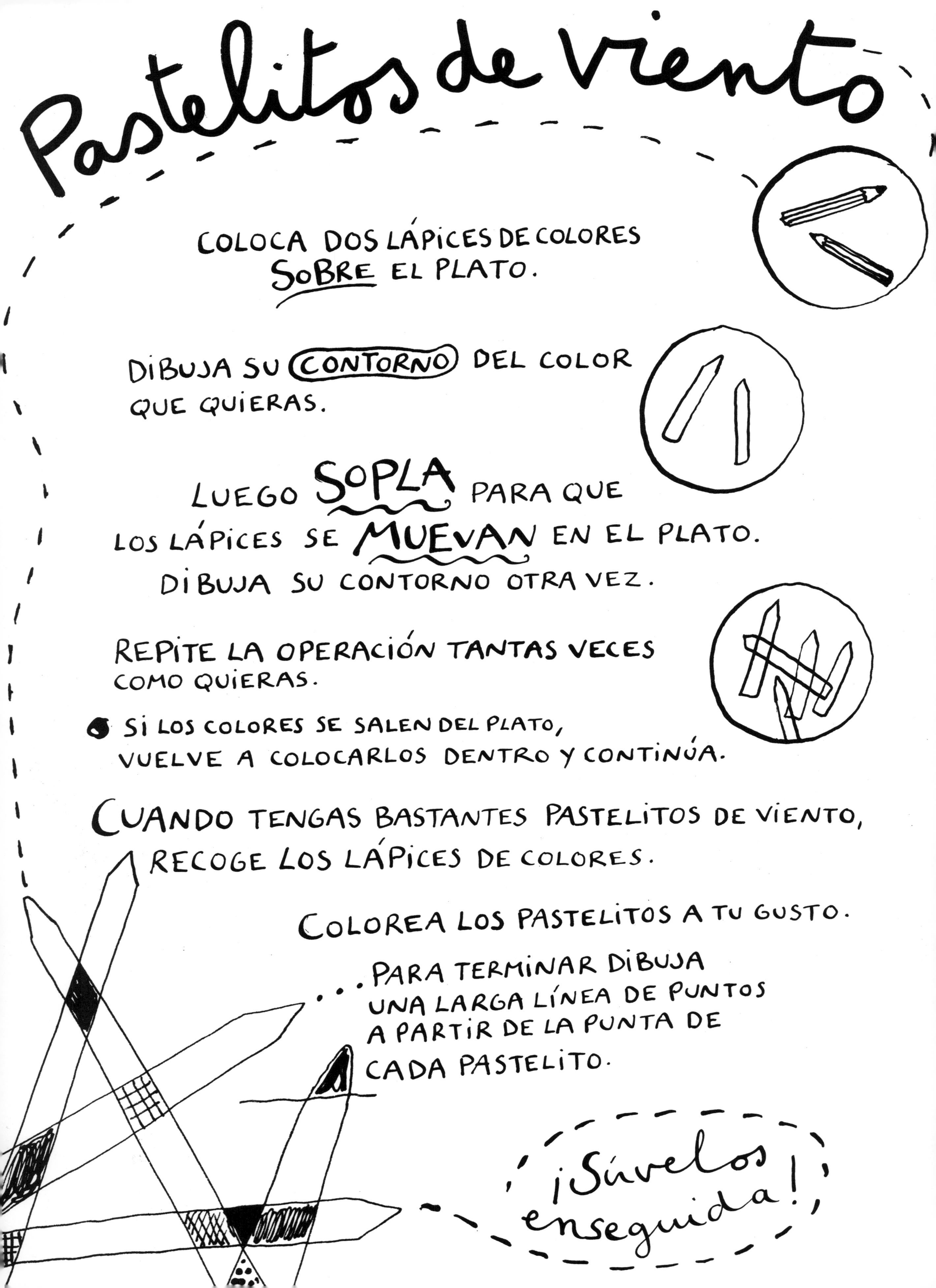

Pastelitos de viento
COLOCA DOS LÁPICES DE COLORES
SOBRE EL PLATO.
DIBUJA SU CONTORNO DEL COLOR
QUE QUIERAS.
LUEGO SOPLA PARA QUE
LOS LÁPICES SE MUEVAN EN EL PLATO.
DIBUJA SU CONTORNO OTRA VEZ.
REPITE LA OPERACIÓN TANTAS VECES
COMO QUIERAS.
SI LOS COLORES SE SALEN DEL PLATO,
VUELVE A COLOCARLOS DENTRO Y CONTINÚA.
CUANDO TENGAS BASTANTES PASTELITOS DE VIENTO,
RECOGE LOS LÁPICES DE COLORES.
COLOREA LOS PASTELITOS A TU GUSTO.
...PARA TERMINAR DIBUJA
UNA LARGA LÍNEA DE PUNTOS
A PARTIR DE LA PUNTA DE
CADA PASTELITO.
¡Súvelos enseguida!

Milhojas de Papel

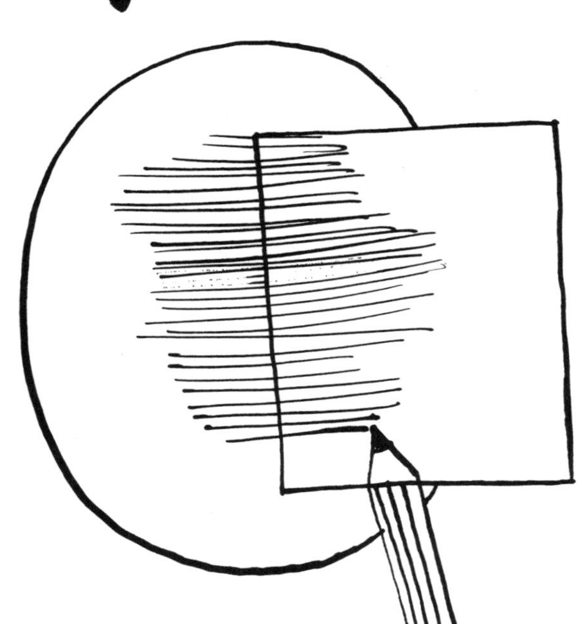

COJE UNA HOJA EN BLANCO
QUE SEA UN POCO MÁS PEQUEÑA
QUE EL PLATO Y COLÓCALA ENCIMA.

DIBUJA RAYAS EN LA HOJA,
QUE SALGAN HASTA EL PLATO.
INTENTA DIBUJAR CON VARIOS LÁPICES
A LA VEZ.

REPITE LA OPERACIÓN **QUINIENTAS** VECES,
MOVIENDO LA HOJA A LA IZQUIERDA Y A LA DERECHA.

AL FINAL TENDRÁS
QUINIENTAS RAYAS
EN EL PLATO Y
QUINIENTAS RAYAS
EN LA HOJA.

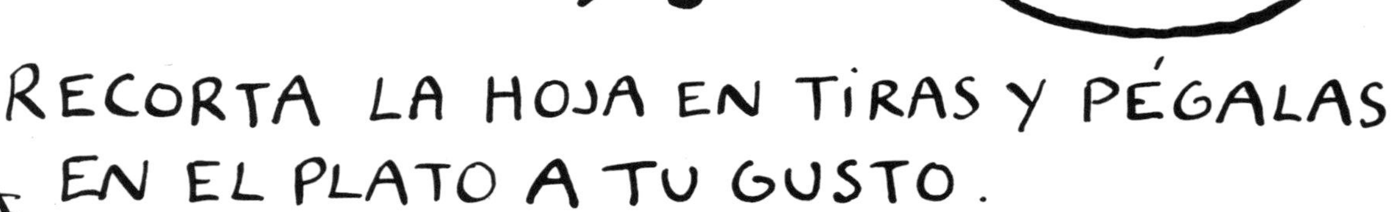

RECORTA LA HOJA EN TIRAS Y PÉGALAS
EN EL PLATO A TU GUSTO.

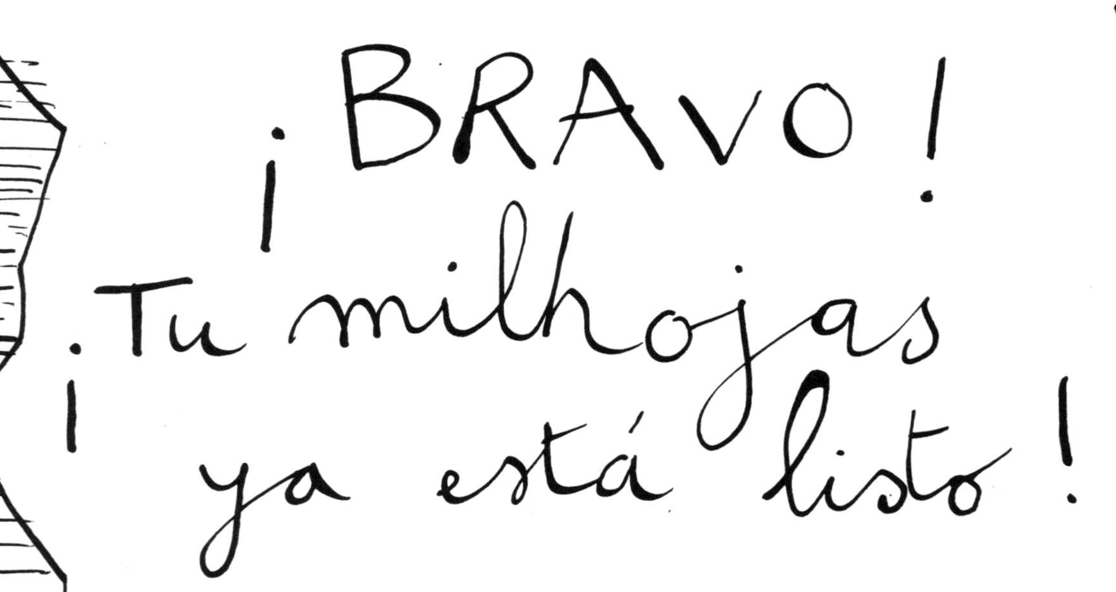

¡BRAVO!

¡Tu milhojas ya está listo!

Hamburguesa
A TODO COLOR

DIBUJA UNA RAYA HORIZONTAL EN LA PARTE SUPERIOR DEL PLATO, DE IZQUIERDA A DERECHA, Y COLOREA LA SECCIÓN SUPERIOR.

HAY LO MISMO EN LA PARTE INFERIOR DEL PLATO.

PARA MONTAR LA HAMBURGUESA, SIGUE ESTOS PASOS:

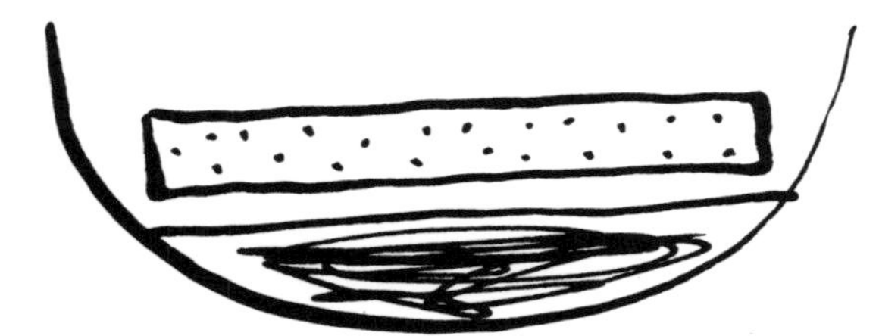

DIBUJA UN RECTÁNGULO GRANDE SOBRE LA SECCIÓN INFERIOR DEL PLATO Y RELLÉNALO DE PUNTITOS.

AÑADE ENCIMA UNA CAPA DE BUCLES Y ALGUNOS PUNTOS.

LUEGO DIJUBA OTRO RECTÁNGULO GRANDE.

AÑADE ENCIMA UNA CAPA DE SOMBREADO Y UNA LÍNEA DE RAYITAS.

DIBUJA OTRO RECTÁNGULO GRANDE...

AÑADE ENCIMA UNA CAPA DE CRUCES Y PUNTOS.

SIGUE AÑADIENDO RECTÁNGULOS Y RELLENOS HASTA LLEGAR A LA PARTE SUPERIOR DEL PLATO.

¡INCLUSO A PAPÁ Y A MAMÁ
¡les gustará esta Hamburguesa!

Paté de Colores
DIBUJA EN EL PLATO
UNA Bonita FORMA
IRREGULAR
GRANDE
COGE TRES LÁPICES DE COLORES A LA VEZ
Y DIBUJA UNOS TRAZOS RÁPIDOS
DENTRO DE LA FORMA, CON BRÍO
Y EN TODAS LAS DIRECCIONES.
REPITE LA OPERACIÓN CON OTROS TRES COLORES
DISTINTOS, ESTA VEZ CON MÁS Suavidad.
RELLENA Bien TU FORMA.
AHORA DIBUJA UNA LLUVIA MULTICOLOR
BAJO TU FORMA, COMO SI FUESE UNA NUBE.
AÑADE UNOS GARABATOS Elegantes
ALREDEDOR DEL PLATO.
LUEGO ADORNA CADA GARABATO
CON UNAS RAYAS DE OTRO COLOR.
ESTE PLATO SE TOMA FRÍO. ¿A QUÉ ESPERAS?

Sopa sin nombre

DIBUJA SEIS LETRAS GRANDES
(LAS QUE QUIERAS) EN EL PLATO.

LUEGO REPARTE TODAS LAS LETRAS
DE TU NOMBRE Y DE TU APELLIDO
POR EL PLATO.

AHORA HAZ LO MISMO
CON EL NOMBRE DE ALGUIEN
A QUIEN QUIERAS MUCHO.

AL LADO DE CADA LETRA, ESCRIBE
UNA O DOS LETRAS MÁS PARA FORMAR
SÍLABAS.

(NOTA: SI NO SABES QUÉ ES UNA SÍLABA,
PREGÚNTASELO A TU AYUDANTE DE COCINA).

RODEA ALGUNAS SÍLABAS
DEL PLATO CON UN CÍRCULO.

Léelas en voz alta:

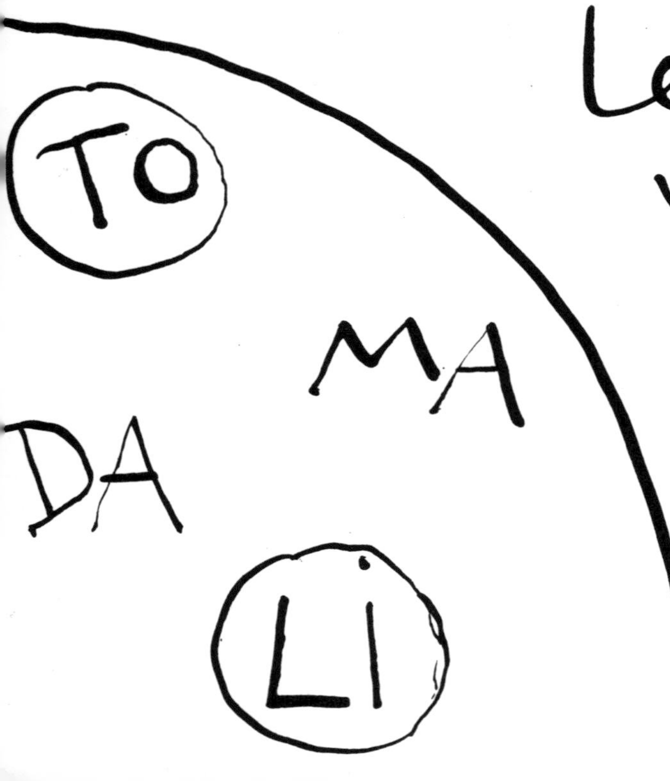

¡ESE SERÁ EL NOMBRE
DE TU SOPA!

H E R V E T U L E T

A E

TA DO MA RI TO MA

TO MA DA LI

Sorpresa del chef

DIBUJA LO QUE QUIERAS EN EL PLATO
DURANTE DIEZ SEGUNDOS.

AHORA DIBUJA LO MISMO...
PERO CON LA OTRA MANO.

LUEGO DIBUJA UNA FORMA *Bonita*...
¡CON LOS OJOS CERRADOS!

DESPUÉS DIBUJA LO MISMO,
AHORA CON LOS OJOS ABIERTOS.

VUELVE A CERRAR LOS OJOS Y DIBUJA
OCHO CRUCES Y OCHO CIRCULITOS,
REPARTIDOS POR EL PLATO.

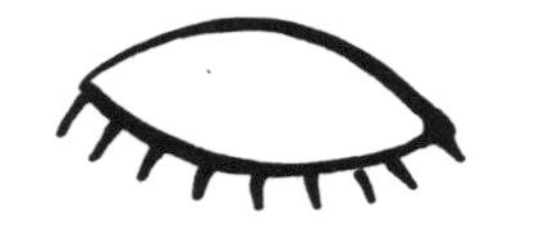

ABRE LOS OJOS.

COGE DOS LÁPICES DE COLORES CON CADA MANO
Y UNE CON LÍNEAS CADA CRUZ CON CADA CÍRCULO.
INTENTA HACERLO CON LAS DOS MANOS A LA VEZ.

COLOREA Y TERMINA DE DECORAR
EL PLATO A TU GUSTO, CON LAS DOS MANOS.

¡LISTO PARA SERVIR!

¡Enhorabuena, chef Artista!

AHORA TE TOCA A TI CREAR TU PROPIA RECETA. COMBINA LOS INGREDIENTES, DECORA EL PLATO A TU GUSTO Y PIENSA UN NOMBRE PARA TU OBRA MAESTRA.

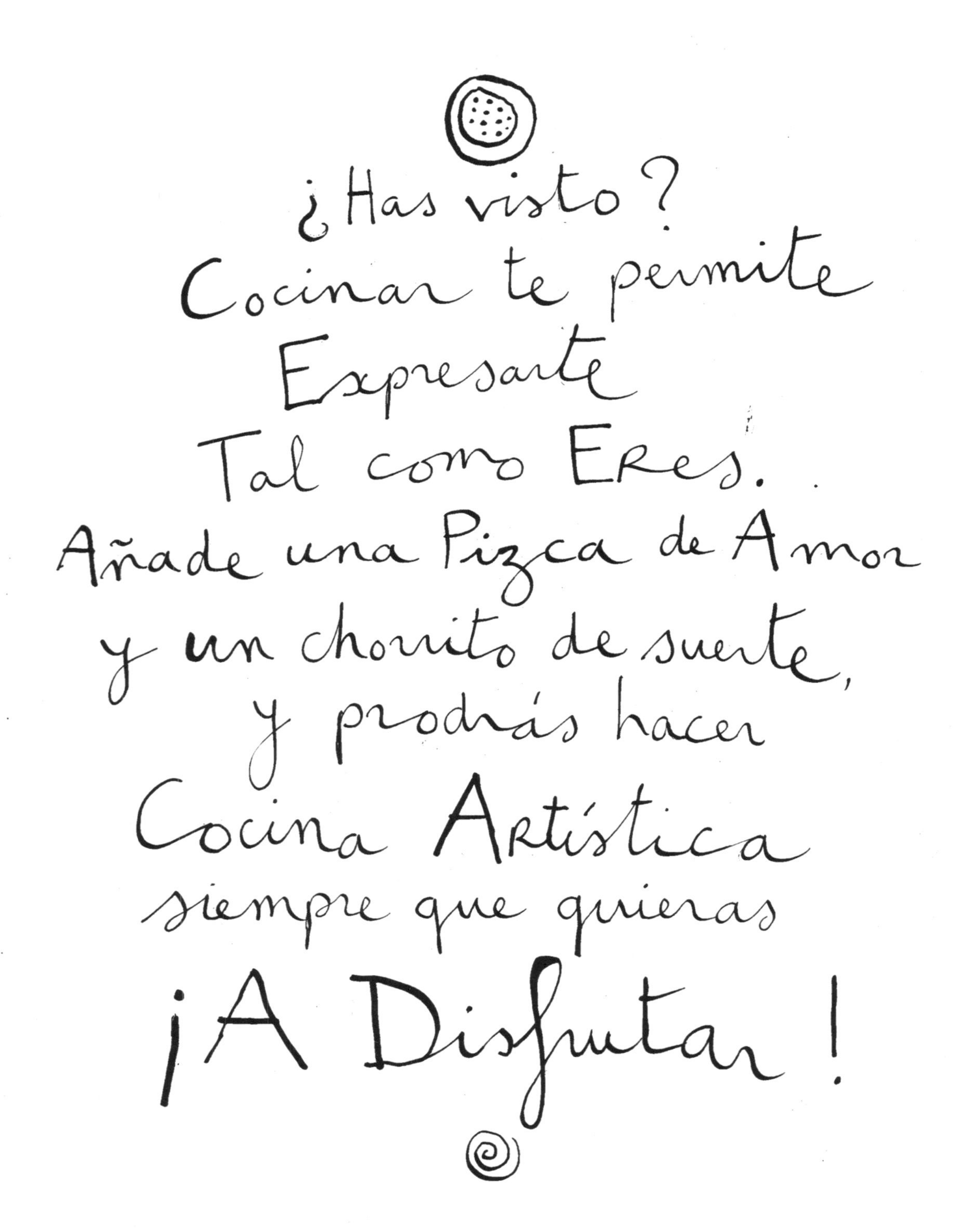

Primera edición en español 2011
Reimpreso en 2021, 2022, 2023, 2024

ISBN 978 0 7148 6340 5
002-0824

Phaidon
55, rue Traversière
75012 París

Phaidon Press Limited
2 Cooperage Yard
Londres, E15 2QR

Phaidon Press Inc.
111 Broadway
Nueva York, NY 10006

www.phaidon.com

Traducción del inglés: Nuria Caminero Arranz para Equipo de Edición S.L., Barcelona
Diseño: Sandrine Granon
Impreso en China